¿Para qué sirve un SUSTANTIVO?

Texto de JUANA INÉS DEHESA

Ilustraciones de BEF

editorialserpentina

COLECCIÓN

CAJA DE HERRAMIENTAS

© JUANA INÉS DEHESA
© BERNARDO FERNÁNDEZ por las ilustraciones

Primera edición Editorial Serpentina, 2008

Concept based on the series *Words Are CATegorical*, authored by Brian P. Cleary
and published by Lerner Publishing Group, Minneapolis, Minnesota, U.S.A.
Concepto de la colección basado en la serie *Words Are CATegorical*, del autor Brian P. Cleary,
publicada por Lerner Publishing Group, Minneapolis, Minnesota, U.S.A.

D.R. © Editorial Serpentina, S.A. de C.V.,
 Santa Margarita 430, colonia Del Valle,
 03100 México, D.F. Tel/Fax (55) 5559 8338/8267
 www.serpentina.com.mx
 www.editorialserpentina.com

ISBN: 978-968-5950-36-7

IMPRESO Y HECHO EN MÉXICO
PRINTED IN MEXICO

Si un **mosco** se enreda en la **telaraña**,

si sabes que aquélla se llama **Mariana**,

si dices "**ombligo**", "**mesa**", "**banco**" y "**sal**",

usas **sustantivos** en gran cantidad.

Muñeca, rodilla, zoológico y circo,

antílope, puerco y hasta monociclo;

piquete, zumbido, abeja y panal,

en un mismo saco se pueden guardar.

Aunque suene raro, comparten función

melón y **García**, **Carmela** y **jamón**,

pues son **sustantivos** que van a nombrar

aquello que pueda tu **mente** pensar.

Si piensas en **cuernos**, **colmillos** y **cola**,

olor pestilente y **hocico** de bola,

un buen **sustantivo** te puede ayudar:

"**dragón**", "**monstruo**" o "**tía**" lo puedes llamar.

Si, por el contrario, vas a imaginar

sutiles **rulitos**, **boca** de coral,

gentil **zapatilla** y **ojitos** de mar,

pensarás "**princesa**", "**doncella**" o "**mamá**".

Sustantivos hay propios y comunes;

comunes serían **pez**, **mar** y **cardumen**,

palmera, **abogado**, **sobrino** y **papá**,

día, **casa** o **flauta**, ¡muy fácil!, ¿verdad?

Los **propios**, en cambio, son los que señalan,

y a un **individuo** del **grupo** destacan,

pues común sería si dijera "un **perro**"

pero si es el "**Pulgas**" es propio, sin **peros**.

Concretos y abstractos se pueden llamar,

depende de cómo los vas a captar;

si es con los **sentidos**, concretos serán:

tractor, **estofado**, **plastilina** y **pan**.

Así, los **abstractos**, vamos a decir

que son los que nadie puede ver ni oír,

muy buenos **ejemplos** serían **bondad**,

olvido, **pecado**, **chanza** y **caridad**.

Un último **truco** habrás de anotar:

ciertos **sustantivos** se pueden contar

como un **carnicero**, tres **dulces**, dos **pies**,

o "siete **velitas** tendrá mi **pastel**".

Sin embargo, hay otros que nunca se cuentan,

son los **incontables**, ¿quién cuenta la **arena**,

el **mal** de este **mundo**, la **seda** de un **traje**,

el **vino**, la **carne**, la **paz** o el **coraje**?

Es muy divertido cuánto hay que decir

de los **sustantivos**, como **sol** y **abril**,

Cerdeña, **matraca**, **mango** y **acordeón**,

escuela, **muchacha**, **ciempiés** y **león**.

Entonces, sin pena, ponte a averiguar

el **nombre** de todo, para practicar:

arcabuz, **polenta**, **friso** y **clarinete**,

palmatoria, **coto**, **camafeo** y **falsete**.

Aquí ya concluye mi **disertación**,

si acaso sin **habla** te deja, ¡**valor**!,

sólo piensa bien qué **nombres** usar,

y sin arredrarte comienza a rimar.

¿para qué sirve un **SUSTANTIVO**?

SE TERMINÓ DE IMPRIMIR EN

EL MES DE AGOSTO DE 2008 EN

EDITORIAL IMPRESORA APOLO,

S.A. DE C.V., CON DOMICILIO

EN LA CALLE DE CENTENO 162,

COLONIA GRANJAS ESMERALDA,

EN LA CIUDAD DE MÉXICO.

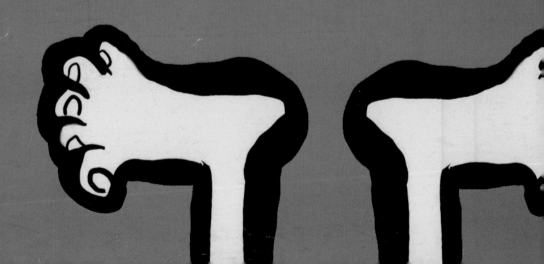